FRENCH VOCABULARY
for
Key Stage 3
and
COMMON ENTRANCE
(Second edition)

J Ellis and R Gordon

www.galorepark.co.uk

Published by ISEB Publications, an imprint of
Galore Park Publishing Ltd,
19/21 Sayers Lane, Tenterden,
Kent TN30 6BW

Illustrations by Christopher Burgess

Printed by Biddles

ISBN 978 0903627 46 7

First Edition published 1999
Second Edition published 2006, reprinted 2007

Details of other ISEB publications and examination papers, and Galore Park publications are available at www.galorepark.co.uk

Front cover image: Brian North/Alamy

Acknowledgements

The authors are very grateful for all the help and advice so freely given in the early stages of the preparation of this booklet by the following:

Fiona Hanney	Castle Court School
Ralph Hawtrey	St Aubyn's School, Rottingdean
George Heslop	St Piran's School
Stephen Hewitt	Town Close House School
Sally Morse	Dragon School
Nigel Pearce	Summer Fields
Ian Roberts	St Edmund's Junior School
Sue Rullière	St John's College School
Colin Thompson	Brambletye
Nicola Walder	Ascham House School
Hugh Walkington	Mount House School

CONTENTS

INTRODUCTION

A message to pupils

This vocabulary booklet lists the essential French vocabulary needed for Key Stage 3 and Common Entrance. It is arranged by topic, divided into basic vocabulary and more advanced vocabulary. Your teacher will tell you which sections you should concentrate on, and which words you need to know.

Within each topic, words are grouped together for easy learning, putting similar words (e.g. colours, days of the week, school subjects etc.) together, and listing nouns, verbs, adjectives and other words separately.

There are half a dozen sentences after each topic to show you how you might use the words. You can learn them by heart, or you can use them as *dictées* to help you check that you can use and spell them correctly.

You can note down any other new words you meet in the blank space at the end of each topic.

Do not think that examinations will only contain the words listed in this booklet. When reading or listening, you need to be able to work out what an unfamiliar word means from its context, to skim read a passage for its general gist, or to identify key words.

Nevertheless, the more vocabulary you know the better. Words are the body of language, like bricks in a building, where grammar is the mortar which holds them together. However much grammar you may know, without words you can say nothing.

Here are some suggestions to help you make good use of this booklet.

- Concentrate on learning words from the topic which you are tackling in class. Using words which you are trying to learn, helps to fix them in your mind.
- Look at the drawings at the beginning of each topic, and see how many things you can name successfully.
- Imagine things and actions as you learn.
- Imagine a conversation you might have, a letter you might write or a person you want to describe.
- Say the words in your head. If you can pronounce them, you will find them easier to spell, and easier to recognise when listening.
- Learn little and often, rather than trying to memorise huge chunks at a time.

The following learning technique is tried and tested, and works well for almost everybody:

LOOK COVER WRITE CHECK

- **Write** words down. **Check** the spelling. This is the best way to be sure that you really do know them.
- When you write down a list of ten or fifteen words, you will find that you already know quite a few of them. Try **highlighting** the ones you know, and concentrate on the others.
- Now repeat the process; **write down** the ones you didn't know, and **check** them again.

Exercices
1, 2, 3,

1. Language of the classroom

mes affaires (f.)	my things
le stylo	pen
le crayon	pencil
la gomme	eraser
la règle	ruler
le cahier	exercise book
le livre	book
le scotch	sellotape
le carnet	notebook
le papier	paper
la cartouche	(ink) cartridge
le feutre	felt tip
la salle de classe	classroom
la porte	door
la fenêtre	window
la chaise	chair
la table	table
le tableau	board
la poubelle	waste-paper basket
la cassette	cassette, tape
le magnétophone	tape recorder
la classe	class
quelqu'un	someone
le groupe	group
le/la partenaire	partner
le silence	silence
la leçon	lesson
les devoirs	homework
le mot	word
la phrase	sentence

le travail	work
la liste	list
la note (sur 20)	mark (out of 20)
une erreur	mistake
la faute	mistake
la correction	correction
un exemple	example
la question	question
la page	page
une image	picture, image
un exercice	exercise
la ligne	line
la chose	thing
la différence	difference
le contraire	opposite
les toilettes	lavatory
le problème	problem
le résultat	result
le prénom	first name
le nom de famille	surname
une fois	once
avoir	to have
être	to be
aller	to go
dire	to say
faire	to do, to make
entendre	to hear
écouter	to listen (to)
expliquer	to explain
demander	to ask
répondre	to reply
répéter	to repeat
parler	to speak

écrire	to write
copier	to copy
donner	to give
chercher	to look for
trouver	to find
couper	to cut
coller	to stick
commencer	to start
finir	to finish
ouvrir	to open
fermer	to close
entrer	to enter
sortir	to go out
travailler	to work
oublier	to forget
tourner	to turn
venir	to come
voir	to see
distribuer	to distribute, to hand out
découper	to cut up
poser	to put down; to ask (question)
il faut	it is necessary (to)
décrire	to describe
compléter	to complete
cocher (une case)	to tick (a box)
remplir	to fill (in)
corriger	to correct
imaginer	to imagine
savoir	to know
essayer	to try
comprendre	to understand
pouvoir	to be able
prêter	to lend

c'est	it is
il y a	there is, there are
il n'y a pas	there isn't, there aren't
il y avait	there was
bon, bonne	good
excellent	excellent
absent	absent
vrai	true
faux, fausse	false
facile	easy
difficile	hard
possible	possible
correct	correct
prêt	ready
différent	different
moyen, moyenne	average
encore	again
oui	yes
non	no
s'il te plaît	please
s'il vous plaît	please
merci	thank you
ici	here
là	there
voici	here is
voilà	there is
devant	in front of
derrière	behind
avec	with
sans	without
en retard	late
parce que	because

d'abord	first of all
aujourd'hui	today
seulement	only
bonjour	hello
faites attention!	pay attention!
écoutez!	listen!
ouvrez!	open!
regardez!	look at!
lève-toi	stand up (sing.)
levez-vous	stand up (pl.)
assieds-toi	sit down (sing.)
asseyez-vous	sit down (pl.)
viens ici	come here (sing.)
venez ici	come here (pl.)
bravo!	well done!
encore une fois	again, once more
ainsi	thus, in that way
pas mal	not bad
bien (fait)!	well (done)!
(tu as) compris?	(have you) understood?
que veut dire 'fois'?	what does 'fois' mean?
ça s'écrit comment?	how do you spell that?
c'est à qui?	whose turn is it?
c'est à moi, c'est à toi	it's my turn, it's your turn
excusez-moi	excuse me, sorry
je ne sais pas	I don't know
est-ce que je peux...?	please may I...?
Écoutez le CD et répondez aux questions.	Listen to the CD and answer the questions.
Fermez vos livres et ouvrez vos cahiers.	Close your textbooks and open your exercise books.

Tu travailles bien et tu fais peu de fautes. Tu as seize sur vingt.

You are working well and have few mistakes. You've got sixteen out of twenty.

Excusez-moi, monsieur, j'ai oublié mon cahier.

Excuse me, sir, I've forgotten my exercise book.

CHAT

2. House, home and daily routine

chez moi	at my house
la maison	house
un appartement	flat
la pièce	room (any kind)
la chambre	bedroom
un étage	floor (1st, 2nd etc.)
au premier étage	on the first floor
la cuisine	kitchen
le salon	sitting room
la salle	(large) room
la salle à manger	dining room
la salle de bains	bathroom
la douche	shower
le w.c.	lavatory
le garage	garage
le jardin	garden
le mur	wall
la porte	door
la fenêtre	window
la table	table
la chaise	chair
le lit	bed
la commode	chest of drawers
un ordinateur	computer
le poster, une affiche	poster

une étagère	shelf
une armoire	wardrobe
la lampe	table lamp
le fauteuil	armchair
le canapé	sofa
le tapis	carpet

la moquette	fitted carpet
le lavabo	basin
le miroir	mirror
la brosse à dents	tooth-brush
le savon	soap
le frigo	fridge
le placard	cupboard
une assiette	plate
le bol	bowl
la tasse	cup
le couteau	knife
la cuillère	spoon
la fourchette	fork
le verre	glass
le miel	honey
le petit gâteau	biscuit
la cave	cellar
le sous-sol	basement
le rez-de-chaussée	ground floor
la terrasse	patio, terrace
un escalier	staircase
un ascenseur	lift
le balcon	balcony
le grenier	attic

le matin	morning
l'après-midi (m.)	afternoon
le soir	evening
le petit déjeuner	breakfast
le déjeuner	lunch
le goûter	tea
le dîner	dinner
les céréales	cereal
le chocolat chaud	hot chocolate
la confiture	jam

le croissant	croissant
le pain au chocolat	pain au chocolat
le lait	milk
le gâteau	cake
la tartine	bread (and spread)
se lever	to get up
se laver	to wash
se brosser les dents	to brush one's teeth
mettre	to put (on)
prendre	to take, to have
quitter	to leave
arriver	to arrive
rentrer	to get back (home)
laisser	to leave (things)
ranger	to tidy, to put away
se coucher	to go to bed
dormir	to sleep
se réveiller	to wake up
prendre un bain	to have a bath
prendre une douche	to shower
mettre la table	to lay the table
faire la vaisselle	to do the washing~up
faire le lit	to make the bed
faire le ménage	to do the housework
nettoyer	to clean
passer l'aspirateur	to hoover
faire les courses	to do the shopping
boire	to drink
partager	to share
allumer	to put on (light)
fermer	to turn off, to shut
aller à la messe	to go to church

confortable	comfortable
fatigué	tired
propre	clean
sale	dirty
typique	typical
pratique	practical
alors	then, so
aussi	also
beaucoup	a lot
d'habitude	usually
souvent	often
toujours	always
vers	towards, about
sous	under
sur	on
en bas	downstairs, down
en haut	upstairs, up above
Chez moi nous avons huit pièces.	We have eight rooms in our house.
Dans ma chambre j'ai mon lit, une commode et beaucoup de posters.	In my bedroom I have my bed, a chest of drawers and lots of posters.
Le matin je prends souvent une douche.	In the morning I often have a shower.
Pour le petit déjeuner je prends des céréales et du chocolat chaud.	For breakfast I have cereal and hot chocolate.
Je quitte la maison à huit heures et je rentre vers quatre heures et quart.	I leave the house at eight o'clock and return home at about a quarter past four.

Le soir je me brosse les dents, je range ma chambre et je me couche.

In the evening I clean my teeth, I tidy my bedroom and go to bed.

Pour aider mes parents pendant les vacances, je fais quelque chose tous les jours: je fais la vaisselle, je passe l'aspirateur ou je travaille dans le jardin.

To help my parents during the holidays, I do something every day: I wash up, I do the vacuuming or I work in the garden.

EMPLOI DU TEMPS

LUNDI	MARDI	MERCREDI	JEUDI	VENDREDI	SAMEDI
DEVOIRS	**DEVOIRS**	**DEVOIRS**	**DEVOIRS**	**DEVOIRS**	**DEVOIRS**

3. Life and work at school

le cartable	satchel
le sac à dos	rucksack
une école	primary school
le collège	secondary school
une entrée	entrance
la cour	playground, court
la salle de classe	classroom
l'emploi du temps	timetable
la réunion	assembly
le cours	lesson
la pause (de midi)	(midday) break
la récré(ation)	break
le bruit	noise
la cantine	school dining hall
le déjeuner	lunch
la matière	subject
la langue	language
l'anglais (m.)	English
le français	French
l'allemand (m.)	German
l'espagnol (m.)	Spanish
les maths (f.)	maths
les sciences (f.)	science
la biologie	biology
la chimie	chemistry
la physique	physics
l'histoire (f.)	history
la géo(graphie)	geography
l'informatique (f.)	ICT
la technologie	design
la musique	music

le dessin	drawing, art
l'éducation religieuse (f.)	religious studies
l'éducation civique (f.)	social studies, PSE
l'éducation physique (f.)	PE
la gymnastique	PE, gymnastics
le sport	sport
un orchestre	orchestra, band
le concert	concert
la chorale	choir
une équipe	team
le match	match
le football	football
le hockey	hockey
le rugby	rugby
le tennis	tennis
le club	club, society
un/une élève	pupil
le copain, la copine	friend
le professeur, prof	teacher
la rentrée	start of school year
le trimestre	term
un examen	exam
le lycée	senior school
la bibliothèque	library
le laboratoire	laboratory
le terrain	pitch
un ordinateur	computer
le courrier (électronique)	(e) mail
un/une externe	day pupil
un/une interne	boarder
le repas	meal
le directeur	headmaster
la directrice	headmistress

arriver	to arrive
chanter	to sing
dessiner	to draw
manger	to eat
quitter	to leave
rentrer	to go back (home)
retourner	to return, to go back
durer	to last
apporter	to bring
apprendre	to learn
employer	to use
préparer	to prepare, to work for
passer un examen	to sit an exam
réussir à un examen	to succeed, to pass an exam
préférer	to prefer
terminer	to end
avoir besoin de	to need
(se) changer	to change
gagner	to win
perdre	to lose
fort (en)	good (at), strong
faible (en)	weak (at), feeble
nul, nulle (en)	no good (at)
facile	easy
difficile	difficult
intéressant	interesting
ennuyeux, ennuyeuse	boring, annoying
bon, bonne	good
mauvais	bad
méchant	naughty
important	important, significant
impossible	impossible
même	same, even

occupé	busy
plusieurs	several
utile	useful
en sixième	in year 8
en première	in year 12
contre	against
dehors	outside
pendant que	while

Les cours commencent à neuf heures moins cinq après une réunion dans la grande salle.	Lessons start at five to nine after assembly in the hall.
Ma matière préférée est la biologie. C'est très intéressant.	My favourite subject is biology. It's very interesting.
Je suis fort en maths, mais je suis nul en latin!	I'm good at maths but I'm not good at Latin.
L'informatique est importante aujourd'hui, mais c'est difficile.	ICT is important today, but it's difficult.
J'aime beaucoup la musique. Je joue du violon dans l'orchestre.	I love music. I play the violin in the orchestra.
On mange bien à la cantine. J'aime bien les salades.	The food in the canteen is good. I really like the salads.
Je joue au tennis. Je suis dans l'équipe et nous avons un match aujourd'hui.	I play tennis. I'm in the team and we've got a match today.

MAI
LUNDI
24
9
10.15 Dentiste
12
12.30 François
3
A L'école
6
8.30 chez Nadine
MAI
MARDI
25
9.30 M. Hulot
12
3
6
7.30 Cinéma

4. Time, dates and numbers

les jours (m.)	the days
lundi	Monday
mardi	Tuesday
mercredi	Wednesday
jeudi	Thursday
vendredi	Friday
samedi	Saturday
dimanche	Sunday
les mois (m.)	the months
janvier	January
février	February
mars	March
avril	April
mai	May
juin	June
juillet	July
août	August
septembre	September
octobre	October
novembre	November
décembre	December
les numéros	the numbers
zéro	zero
un, une	1
deux	2
trois	3
quatre	4
cinq	5
six	6
sept	7

huit	8
neuf	9
dix	10
onze	11
douze	12
treize	13
quatorze	14
quinze	15
seize	16
dix-sept	17
dix-huit	18
dix-neuf	19
vingt	20
vingt et un	21
vingt-deux	22
vingt-trois	23
trente	30
trente et un	31
trente-quatre	34
quarante	40
cinquante	50
soixante	60
soixante-dix	70
quatre-vingts	80
quatre-vingt-un	81
quatre-vingt-dix	90
quatre-vingt-onze	91
quatre-vingt-dix-neuf	99
cent	100
cent un	101
mille	1000

le gramme	gram
le kilo	kilo
le litre	litre

le centimètre	centimetre
le mètre	metre
le kilomètre	kilometre
plus	plus
moins	minus
la moitié	half

l'heure (f.)	the time
à quelle heure?	at what time?
une heure	1 o'clock
deux heures	2 o'clock
deux heures dix	ten past two
trois heures et quart	quarter past three
quatre heures et demie	half past four
cinq heures moins le quart	quarter to five
six heures moins cinq	five to six
midi (m.)	midday
midi et demi	12.30
minuit (m.)	midnight
seize heures trente	16.30 (4.30 pm)
du matin	a.m.
de l'après-midi	pm (afternoon)
du soir	pm (evening)

la date	date
c'est le trois mai	it is the 3rd May
le premier juin	the 1st June
un an	year
les fêtes (f.)	holidays, feast days
la Fête Nationale (14 juillet)	Bastille Day
le Jour de l'An	New Year's Day
Noël (m.)	Christmas
Pâques (m.)	Easter
Le Saint Sylvestre	New Year's Eve
la Toussaint	All Saints' Day

une heure	hour
la minute	minute
la seconde	second
un instant	instant, moment
le moment	moment
le jour	day (time)
le matin	morning
l'après-midi (m.)	afternoon
le soir	evening
la nuit	night
la journée	day
de lundi à jeudi	from Monday to Thursday
le weekend	weekend
la semaine	week
la quinzaine	fortnight
compter	to count
arriver	to arrive
partir	to leave
rester	to stay
quand?	when?
hier	yesterday
aujourd'hui	today
demain	tomorrow
avant	before
après	after
pendant	for, during
maintenant	now
bientôt	soon
enfin	finally
puis	then
souvent	often
en retard	late

demi-	half
prochain	next
dernier	last
ne…jamais	never
quelquefois	sometimes
toujours	always,still
en avance	early, before time
longtemps	for a long time
environ	about, roughly
tôt	early (in the day)
tard	late (in the day)
tout de suite	immedlately
lundi	Monday; on Monday
le lundi	on Mondays
tous les jours	every day
toutes les 10 minutes	every 10 minutes
du 10 au 17 juin	from 10th to 17th June
Aujourd'hui nous sommes jeudi le quatre janvier.	It's Thursday 4th January today.
On a cours de lundi à vendredi, puis le weekend on a du temps libre.	We have lessons from Monday to Friday, then at the weekend we have free time.
Londres est à environ 300 kilomètres de Paris.	London is about 300 kilometres from Paris.
Le jour de la rentrée est toujours une journée très difficile pour moi.	The day we go back to school is always a very difficult day for me.
Je passe la moitié des vacances chez moi, puis une quinzaine en France. Après, nous voyageons un peu.	I spend half the holidays at home, then a fortnight in France. After that, we travel around a bit.

5. Personal description

les vêtements (m.)	clothes
un uniforme	uniform
la chemise	shirt
le pull	jumper, jersey
le pantalon	trousers
le chemisier	blouse
la jupe	skirt
la robe	dress
la veste	jacket
le t-shirt	t-shirt
le jean	jeans
le short	shorts
le slip	pants
la chaussette	sock
la chaussure	shoe
la sandale	sandal
les baskets (m.)	trainers
un anorak	anorak
le chapeau	hat
la casquette	cap
la cravate	tie
le collant	pair of tights
un imper(méable)	raincoat, mac
le pyjama	pair of pyjamas
les lunettes (f.)	glasses
les cheveux (m.)	hair
les yeux (m.)	eyes
le nom	name
un enfant unique	only child
le fils unique, la fille unique	only son, only daughter
un anniversaire	birthday

la couleur	colour
une adresse	address
l'Angleterre (f.)	England
le prénom	first name, Christian name
le nom de famille	surname
s'appeler	to be called
habiter	to live
avoir	to have
porter	to wear
aimer	to like
détester	to hate
fumer	to smoke
penser	to think
grand	tall, big
petit	short, small
moyen, moyenne	medium, middling
mince	thin
gros, grosse	large, fat
long, longue	long
court	short
raide	straight (hair)
frisé	curly (hair)
jeune	young
beau, belle	handsome, beautiful
joli	pretty
heureux, heureuse	happy
malheureux, malheureuse	unhappy
sportif, sportive	sporty
intelligent	intelligent
préféré	favourite
costaud	strong, tough

blanc, blanche	white
bleu	blue
blond	blond
brun	brown
gris	grey
jaune	yellow
marron (doesn't change)	brown, chestnut (hair)
noir	black
rose	pink
rouge	red
vert	green
clair (bleu clair)	light (light blue)
foncé (vert foncé)	dark (dark green)
à la mode	in fashion
en coton	(made of) cotton
en laine	(made of) wool
en cuir	(made of) leather
comme	as, like
surtout	above all
à mon avis	in my opinion
généralement	usually
Je suis assez grande. Je porte les lunettes. J'ai les cheveux blonds et courts et je vais porter un pull rouge et une jupe bleue.	I'm quite tall. I wear glasses. I've got short, blonde hair and I am going to wear a red sweater and a blue skirt.
Je suis petit, mais costaud. J'adore le rugby. Je suis heureux parce que pour mon anniversaire je vais au Stade de France avec mon père.	I am small but strong. I adore rugby. I'm happy because I'm going to the Stade de France with my father for my birthday.

Je m'appelle Marie. Je suis fille unique. J'ai douze ans. J'habite Lyon. J'aime le sport, surtout le ski.

My name is Marie. I am an only child. I'm twelve years old. I live in Lyon. I like sport, especially skiing.

Comme uniforme nous portons une chemise grise, un pantalon bleu et des chaussures noires.

We wear a grey shirt, blue trousers and black shoes for uniform.

J'ai beaucoup de beaux vêtements. J'ai une jupe préférée qui est longue et très à la mode.

I've got a lot of nice clothes. I have a favourite skirt which is long and very fashionable.

6. Family, friends and pets

la personne	person
la femme	woman, wife
la fille	girl, daughter
un homme	man
le mari	husband
le garçon	boy
le bébé	baby
un/une enfant	child
la famille	family
la mère	mother
maman	mummy
le père	father
papa	daddy
le fils	son
le frère	brother
la soeur	sister
la grand-mère	grandmother
le grand-père	grandfather
les grands-parents (m.)	grandparents
un oncle	uncle
la tante	aunt
le cousin, la cousine	cousin
un ami/une amie	friend
un animal	animal
le chat	cat
le chien	dog
le lapin	rabbit
le copain, la copine	friend
le/la correspondant(e)	pen friend
le bac(calauréat)	final exam, 'A' levels

un/une étudiant(e)	student
une université	university
le bureau	office
le métier	trade, profession
la profession	profession
un artisan	craftsman
le (la) comptable	accountant
un/une employé(e)	employee
un homme d'affaires	businessman
le médecin	doctor
un ouvrier, une ouvrière	worker
le paysan, la paysanne	farmer, country person
le patron, la patronne	owner, boss
le (la) secrétaire	secretary
aider	to help
donner	to give
vouloir	to want
avoir l'air	to seem, to look
connaître	to know (a person)
refuser	to refuse
rire	to laugh
sourire	to smile
amusant	amusing
drôle	funny
content	happy, contented
gentil, gentille	kind
sympa(thique)	likeable, pleasant, kind
poli	polite
sérieux, sérieuse	hard-working, serious
sage	good
méchant	naughty
bête	foolish, stupid
riche	rich

charmant	charming
divorcé	divorced
dynamique	energetic, dynamic
génial	full of life, fun
timide	shy, timid
triste	sad
paresseux, paresseuse	lazy
gourmand	greedy
Ma cousine et son mari ont un petit bébé. Il a cinq mois et il ne dort pas beaucoup.	My cousin and her husband have got a little baby. He's five months old and he doesn't sleep very much.
Nous avons beaucoup d'animaux à la maison. Voici une photo du chien de ma soeur. Moi, j'ai un chat et mon frère a trois lapins – pour le moment!	We've got a lot of animals at home. Here is a photo of my sister's dog. I've got a cat and my brother has three rabbits – at the moment!
Mes grands-parents sont très gentils. Quand ils viennent chez moi, ils me donnent toujours un petit cadeau.	My grandparents are very kind. When they come to my house, they always give me a little present.
Mon père est homme d'affaires et très dynamique. Il va tous les jours au bureau.	My father is a businessman and very dynamic. He goes to the office every day.
Ma correspondante a des copines qui passent le bac au mois de juin.	My pen friend has some friends who are sitting their 'bac' in June.
Il est patron d'un café. Il parle avec ses clients. Il a l'air sympa.	He's the owner of a café. He talks with his customers. He seems very nice.

7. Meeting people

les gens	people
monsieur	Mr
madame	Mrs
mademoiselle	Miss
les parents	parents
un/une enfant	child
le message	message
le téléphone	telephone
le rendez-vous	meeting, appointment
un agenda	diary
téléphoner	to telephone, to ring, to call
vouloir	to want, to wish
accompagner	to accompany, to go with
espérer	to hope
prendre rendez-vous	to go to a meeting
présenter	to introduce
proposer	to suggest
remercier	to thank
rencontrer	to meet
content	happy
aimable	likeable
désolé	sorry
enchanté	delighted
allô	hello (on telephone)
bonjour	good morning, hello
salut	hi
ça va?	how are things going?
ça va	they're going fine
et toi?	and yourself?

je vais bien, merci	I am fine, thanks
je veux bien	I would like to, yes please
dommage!	shame!
à bientôt	see you soon
au revoir	goodbye
bon voyage	have a good trip
bonne chance	good luck
bonsoir	good evening
bonne nuit	good night

ça dépend	it depends
bien sûr	of course
certainement	certainly
entendu	agreed
d'accord	I agree, agreed, o.k.
à samedi	see you Saturday
avec plaisir	with pleasure
de rien	it's nothing, don't mention it

Allô! Ici Pierre. Ça va? Je vais bien merci. Tu prends un message pour tes parents? Je veux bien venir chez vous mardi. Bien. Au revoir.	Hello! It's Pierre here. How are you? I'm fine thanks. Can you take a message for your parents? I'd like to come to your house on Tuesday. OK. Goodbye.
Salut, Paul! On va en ville ce soir? Rendez-vous sur la place à huit heures? À bientôt, alors.	Hi Paul! Shall we go into town this evening? Meet in the square at eight o'clock? See you soon then.
Bonjour Pierre! C'est moi, Jean. Tu pars en Italie aujourd'hui? Tu me téléphones quand tu rentres? Bon voyage, alors.	Hello Pierre. It's me, Jean. Are you leaving for Italy today? Will you ring me when you get back? Have a good trip.

Non, désolé, mais samedi nous avons visite. Je regarde mon agenda. Oui, vendredi je suis libre. Je te rencontre au stade. D'accord, c'est entendu. Au revoir.

No, sorry, but we've got visitors on Saturday. I'm looking at my diary. Yes, I'm free on Friday. I'll meet you at the stadium. OK, fine. Goodbye.

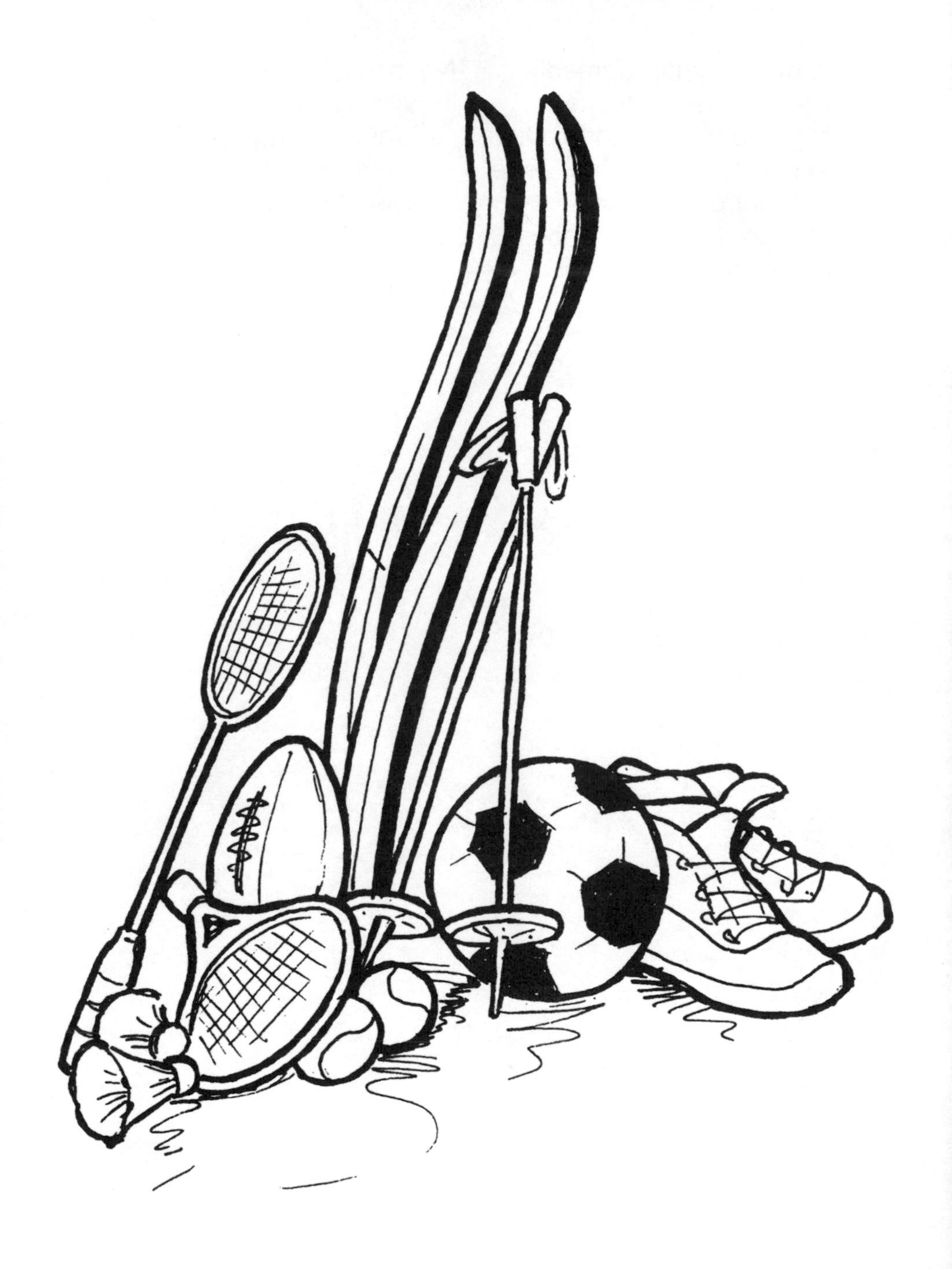

8. Free-time activities

le week-end	weekend
la journée	day
le passe-temps	pastime, hobby
tout le monde	everybody
le sport	sport
le bateau	boat
le cheval	horse
la patinoire	skating rink
la piscine	swimming pool
le vélo	bike
le magazine	magazine
le journal	newspaper
la BD (bande dessinée)	comic strip, comic book
la télé(vision)	television
le hi-fi	hi-fi
la cassette	cassette
le CD	CD
le cinéma	cinema
le film	film
le club	club, society
la disco(thèque)	disco
la fête	holiday
un appareil photo	camera
la photo	photo
un invité, une invitée	guest
une invitation	invitation
les loisirs	free time
une émission	programme (TV or radio)
le magnétoscope	video recorder
les actualités (f.) les informations (f.)	news

le dessin animé	cartoon
la publicité	advertising
la radio	radio
le jeu vidéo	video game
la stéréo	stereo
la musique classique	classical music
la musique pop	pop
la lecture	reading
le roman	novel
le jeu de société	board game
la peinture	painting
la bicyclette	bicycle
le cyclisme	bike riding, cycling
l'équitation (f.)	horse riding
la natation	swimming
la promenade	walk
la distraction	amusement, something to do
le spectacle	show
la surprise	surprise
la surprise-partie, la boum	party
le théâtre	theatre
le groupe	group
la vedette	film star
passer (la journée)	to spend (the day)
aimer bien	to like a lot
décider	to decide
visiter	to visit
pouvoir	to be able
vouloir	to wish, to want
aller à la pêche	to go fishing
faire du cheval	to ride
faire du vélo	to ride (my) bike
faire une promenade	to go for a walk
jouer	to play

jouer au foot	to play football
jouer aux cartes	to play cards
jouer du piano	to play the piano
regarder	to watch
écouter	to listen (to)
lire	to read
inviter	to invite
fêter	to celebrate
danser	to dance
adorer	to adore
bavarder	to chat
collectionner	to collect
filmer	to video
marcher	to walk
proposer	to suggest
regretter	to regret
rendre visite à	to visit someone
s'intéresser à	to be interested in
s'amuser	to enjoy oneself
s'ennuyer	to be bored
se promener	to go for a walk

agréable	pleasant, agreeable
ennuyeux, ennuyeuse	boring
formidable	great, excellent
nouveau, nouvelle	new
super	super
affreux, affreuse	awful
dur	hard
extraordinaire	extraordinary
moche	unpleasant, ugly
passionnant	exciting, gripping

comme	like, as

Le weekend je joue aux cartes avec mes copains ou je fais une promenade à vélo. Pendant la semaine je regarde la télé quand je rentre à la maison.	At the weekend I play cards with my friends or I go for a bike ride. During the week I watch television when I come home.
J'aime la lecture et les films. Je lis beaucoup et je vais au cinéma au moins deux fois par mois.	I like reading and films. I read a lot and I go to the cinema at least twice a month.
A l'école tout le monde a un club: on peut faire des photos, faire du cheval, plein de choses différentes. C'est super.	At school everyone has a club: you can do photography, go riding, loads of different things. It's great.
Demain je fête mon anniversaire. J'ai beaucoup d'invités et nous allons écouter de la musique et danser. Ça va être formidable!	Tomorrow I celebrate my birthday. I've got lots of guests and we are going to listen to music and dance. It's going to be fantastic
J'aime habiter en ville; il y a beaucoup de distractions: la piscine, le cinéma, les cafés.	I like living in town; there are lots of things to do: swimming, going to the cinema and cafés.
Nous avons visité le musée, puis nous avons rendu visite à ma tante qui habite tout près.	We visited the museum, then we visited my aunt who lives nearby.

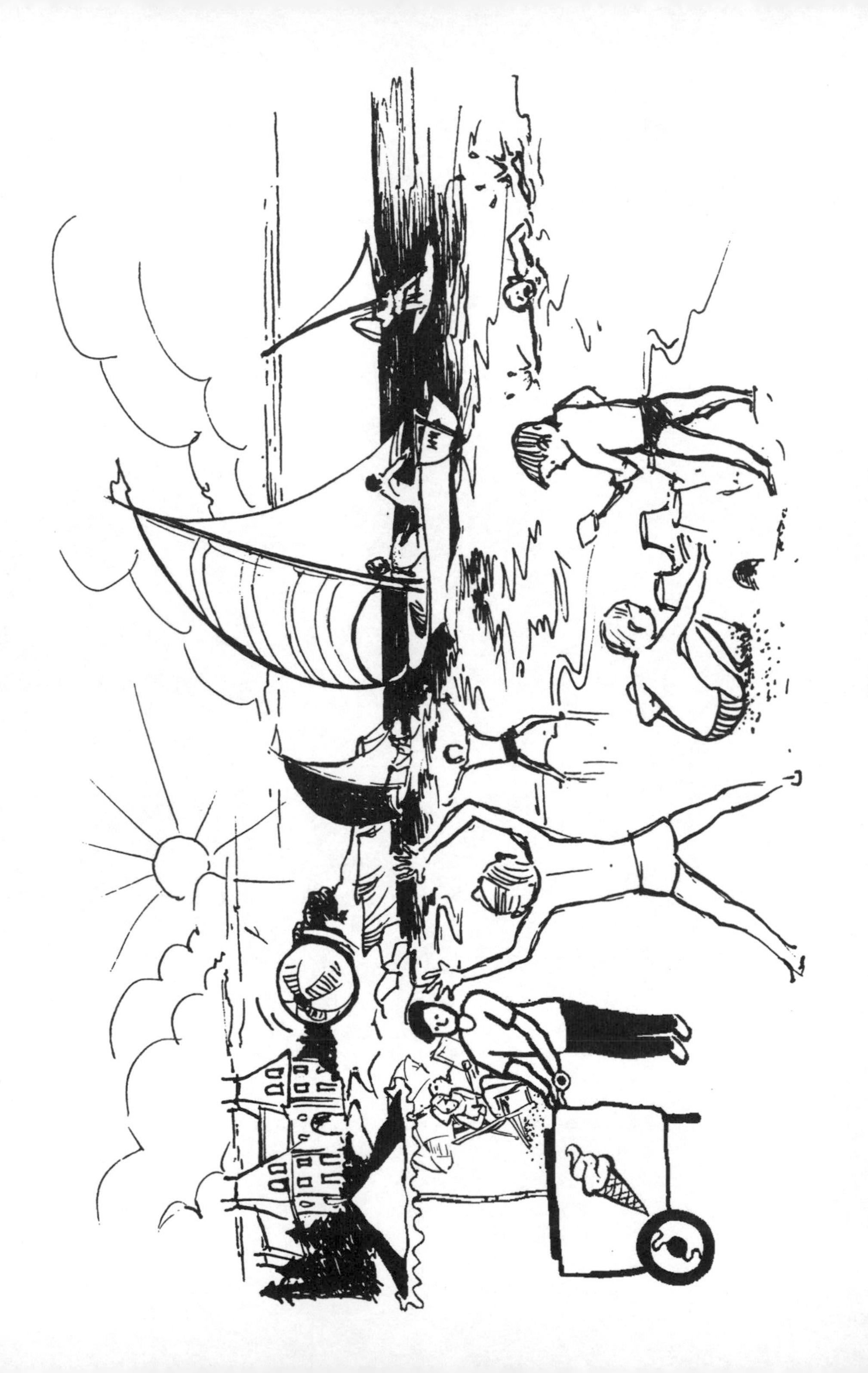

9. Holiday activities

les vacances (f.)	holidays
les grandes vacances (f.)	summer holidays
la mer	sea
au bord de la mer	at the seaside
l'eau (f.)	water
la plage	beach
le sable	sand
le château de sable	sandcastle
le maillot de bain	swimming costume
la glace	ice cream
le camping	camping, camp site
la tente	tent
la caravane	caravan
(à) la campagne	(in) the country
la ferme	farm
le pique-nique	picnic
(à) la montagne	(in) the mountains
la Tour Eiffel	Eiffel Tower
le musée	museum
la carte postale	post card
la lettre	letter
la France	France
le Midi	South of France
le touriste	tourist
le voyageur	traveller

le séjour	stay
une excursion	short trip
les Alpes (f.)	Alps
l'alpinisme (m.)	climbing
les sports d'hiver	winter sports
la côte	coast

la Côte d'Azur	French Riviera
le Tour de France	Tour de France
la Grande Bretagne	Great Britain
la Manche	English Channel
le Tunnel	Channel Tunnel
l'Allemagne (f.)	Germany
la Belgique	Belgium
l'Espagne (f.)	Spain
l'Italie (f.)	Italy
la Suisse	Switzerland
un échange	exchange
le correspondant	pen friend
le gîte	holiday home
une auberge de jeunesse	youth hostel
un emplacement	place for a tent or caravan
la valise	suitcase
les bagages (m.)	luggage
le passeport	passport
la pièce d'identité	any form of identification
la fiche	form (to fill in)

voyager	to travel
faire du camping	to go camping
passer (une semaine)	to spend (a week)
rester	to stay
nager	to swim
faire du canoë	to canoe
faire de la planche à voile	to windsurf
faire du ski nautique	to water-ski
jouer au volley	to play volleyball
jouer aux boules	to play boules
faire du ski	to ski
tomber	to fall
monter	to go up
envoyer	to send

louer	to rent
montrer	to show
revenir	to come back
s'arrêter	to stop
se bronzer	to sunbathe, to get a tan
se reposer	to rest
tomber en panne	to break down
court	short
long, longue	long
dangereux, dangereuse	dangerous
interdit	forbidden
complet, complète	full (e.g. camp site)
lent	slow
lentement	slowly
vite	fast, quickly
à l'étranger	abroad
Avec la caravane on trouve un beau camping et on s'arrête. C'est excellent.	With the caravan you find a nice campsite and stop. It's great.
Nous allons dans le Midi et nous faisons du canoë. Les rivières sont rapides mais pas très dangereuses.	We go to the south of France and go canoeing. The rivers are fast flowing but not very dangerous.
Quand il fait très chaud, je me bronze. Aussi, je nage beaucoup, car en été l'eau est bonne.	When it's very hot, I sunbathe. I also swim a lot because the water is lovely in summer.
Les vacances sont trop courtes! Je veux rester au bord de la mer et faire de la planche à voile.	The holidays are too short! I want to stay by the sea and go windsurfing.

La nuit, quand il fait frais, on peut jouer aux boules sous les arbres sur la place. C'est très agréable.

At night, when it is cool, you can play boules under the trees in the square. It's very pleasant.

Nous passons une semaine à la campagne dans une ferme. Nous montons à cheval et nous faisons des pique-niques.

We are spending a week in the country on a farm. We ride and have picnics.

Après Noël je vais à la montagne et je fais du ski. Je suis toujours très fatigué à la fin de la journée.

After Christmas I'm going to the mountains to ski. I am always very tired at the end of the day.

Le Café
CAFÉ

10. Visiting a café or restaurant

le café	café, coffee
le coca	coke
le jus de fruit	fruit juice
la limonade	lemonade
l'orangina (m.)	orangina
l'eau minérale (f.)	mineral water
la bière	beer
le vin	wine
le chocolat (chaud)	(hot) chocolate
le thé	tea
la crêpe	pancake
le croque-monsieur	toasted ham and cheese
la pizza	pizza
le sandwich	sandwich
le restaurant	restaurant
la soupe	soup
le potage	(thick) soup
le pain	bread
un oeuf	egg
une omelette	omelette
le poisson	fish
la viande	meat
le porc	pork
le poulet	chicken
le steak	steak
les spaghettis (m.)	spaghetti
les pâtes (f.)	pasta
la pomme de terre	potato
les frites (f.)	chips
la salade	salad
le fromage	cheese
le dessert	dessert

le parfum	flavour
(la) vanille	vanilla
(la) fraise	strawberry
le fruit	fruit
une orange	orange
la pomme	apple
le sucre	sugar
le menu (à 20 euros)	(20 euro) menu
les hors d'oeuvre (m.)	starter
les crudités (f.)	raw vegetables
le saucisson	salami
le pâté	pâté
les fruits de mer (m.)	sea food
le boeuf	beef
la côtelette	chop
le rôti	roast
la saucisse	sausage
le hamburger	hamburger
la sauce	sauce
la spécialité	speciality
le plat	dish
le plat du jour	the dish of the day
le riz	rice
les légumes (m.)	vegetables
les carottes (f.)	carrots
les petits pois (m.)	peas
les haricots verts (m.)	green beans
la tarte (aux pommes)	(apple) tart
la patisserie	pastry, cake
la salade de fruits	fruit salad
la crème	cream
le raisin	grape
le sel	salt
le poivre	pepper

la moutarde	mustard
la boisson	drink
la carafe	carafe, (wine) jug
l'eau gazeuse (f.)	fizzy water
le panaché	shandy
la tasse	cup
le verre	glass
la bouteille	bottle
le patron	boss, owner
l'addition (f.)	bill
payer	to pay (for)
choisir	to choose
commander	to order
boire	to drink
manger	to eat
prendre	to take, to have
je voudrais	I would like
j'ai faim	I am hungry
j'ai soif	I am thirsty
végétarien, végétarienne	vegetarian
zone non-fumeur	non-smoking area
au nom de	in the name of
service (non) compris	tip (not) included
bon appétit!	enjoy your meal!
J'aime aller au café, boire un coca et regarder les gens.	I like going to the café, drinking a coke and people-watching.
Nous prenons le menu à 10 euros. Tout le monde prend le potage et le poulet.	We are going for the 10 euro menu. Everyone is having the soup and the chicken.

Et à boire?	And what would you like to drink?
Un jus de pomme pour mon fils, et pour moi et ma femme une carafe de vin blanc.	An apple juice for my son and a carafe of white wine for my wife and me.
Merci, pas de café. C'était délicieux. Le service est compris?	No thank you, no coffee. It was delicious. Is service included?
Nous avons réservé pour trois personnes. C'est au nom de Simon.	We have booked a table for three people. It's reserved in the name of Simon.
Sur la terrasse? D'accord. Merci.	On the terrace? Of course. Thank you.
Comme plat du jour nous avons un rôti de porc. C'est très bon.	Our dish of the day is roast pork. It is very good.
Ma fille est végétarienne. Qu'est-ce que vous avez pour elle?	My daughter is vegetarian. What would you have for her?

11. Simple health problems

la tête	head
un oeil	eye
les yeux (m.)	eyes
le nez	nose
la bouche	mouth
la dent	tooth
la gorge	throat
le bras	arm
la main	hand
le doigt	finger
l'estomac (m.)	stomach
la jambe	leg
le pied	foot
une oreille	ear
le dos	back
le genou	knee
le ventre	stomach
le médecin, le/la docteur	doctor
le/la dentiste	dentist
un infirmier, une infirmière	nurse
une ambulance	ambulance
un hôpital	hospital
le cabinet	doctor's surgery
les heures de consultation (f.)	surgery times
le rendez-vous	appointment
une ordonnance	prescription
le rhume	cold
la grippe	flu
la fièvre	fever, temperature
le comprimé	tablet

le sparadrap	sticking plaster
le lait solaire	suntan lotion
aller bien	to be well
avoir mal	to have a pain, an ache
j'ai mal au pied	my foot hurts
tu as mal à la tête?	have you got a headache?
elle a mal aux dents	she's got toothache
avoir mal au coeur	to feel sick
il a 37°	his temperature is 37°
tousser	to cough
avoir un coup de soleil	to have sunstroke
se couper (le doigt)	to cut (one's finger)
se casser (la jambe)	to break (one's leg)
se sentir	to feel
malade	ill
cassé	broken
en forme	fit, in good health
au secours!	help!
Tu vas mieux maintenant? Tu n'as pas mal aux dents?	Are you better now? You do not have toothache?
Il a le bras cassé. Appelez une ambulance tout de suite.	He has broken his arm. Call an ambulance at once.
Je suis malade. J'ai 38°, et j'ai mal à la tête.	I am ill. I have a temperature of 38° and I have a headache.

12. Description of a town or region

le pays	country
la ville	town
le bâtiment	building
un immeuble	block of flats, large building
la gare	station
la gare routière	coach station
le parc	park
une église	church
la cathédrale	cathedral
le monument	monument
le restaurant	restaurant
le centre commercial	shopping centre
le magasin	shop
les distractions (f.)	things to do
le cinéma	cinema
le musée	museum
la piscine	swimming pool
la patinoire	skating rink
le stade	stadium
le centre sportif	sports centre
le théâtre	theatre
le village	village
la rivière	river
le pont	bridge
la campagne	countryside, country
le champ	field
un arbre	tree
le bois	wood
la forêt	forest
le château	castle, mansion
la mer	sea
la montagne	mountain

le nord	north
l'est (m.)	east
le sud	south
l'ouest (m.)	west
la région	region
le département	county
un endroit	place
une usine	factory
le paysage	countryside
la vue	view
le chemin	track, country road
la colline	hill
la vallée	valley
la falaise	cliff
le lac	lake
un habitant	inhabitant
un oiseau	bird
le cheval	horse
le mouton	sheep
la vache	cow
se trouver	to be (situated)
beau, belle	beautiful, lovely
industriel, industrielle	industrial
moderne	modern
vieux, vieille	old
historique	historic
calme	calm
magnifique	magnificent
situé	situated
animé	lively, full of life
bruyant	noisy
pollué	polluted

ancien, ancienne	old, ancient
large	wide
étroit	narrow
Le Havre est maintenant une grande ville moderne et industrielle.	Le Havre is now a large, modern, industrial town.
Lille est une ville historique au nord de la France où il y a beaucoup de vieux bâtiments magnifiques.	Lille is an historic town in the north of France where there are lots of magnificent old buildings.
J'aime faire des promenades. Je traverse les champs et un petit bois.	I love going for walks. I walk across the fields and through a small wood.
Quand je sors du bois, il y a un beau château devant moi.	When I come out of the wood, there is a beautiful mansion in front of me.
Le centre commercial est pratique. On a tous les magasins, et la piscine est tout près.	The shopping centre is convenient. All the shops are there and the swimming pool is nearby.
Nous passons les vacances dans un petit village très calme entre la mer et la montagne. Il y a seulement la rivière, le pont et la place avec l'église et le café.	We spend the holidays in a small, quiet village between the coast and the mountains. There is only the river, the bridge and the square with the church and the café.
Je préfère le cinéma et la patinoire aux musées. L'histoire, c'est pour les vieux.	I prefer the cinema and skating rink to museums. History is for old people.

13. Finding the way and using transport

le centre	centre
le centre-ville	town centre
la place	(town) square
le parking	car-park
un hôpital	hospital
la mairie	town hall, mayor's office
la cabine (téléphonique)	telephone box
la rue	street
la route	road
une auto	car
la voiture	car
le taxi	taxi
la gare (SNCF)	station
le train	train
le quai	platform
le métro	metro, underground
la direction	direction
la gare routière	coach station
le bus	bus
un autobus	bus
le car	coach
le billet	ticket
un aller simple	single ticket
un aller-retour	return ticket
le départ	departure
une arrivée	arrival
le port	port

la A2 (autoroute)	A2 (motorway) [like M2]
la N20 (route nationale)	N20 [like A20]
la D147 (route départementale)	D147 [like B147]

la carte	map
le gendarme	policeman
la gendarmerie	police station
un agent (de police)	policeman
un hôtel de ville	town hall
le bout	end
le coin	corner
une avenue	avenue
le carrefour	crossroads
les feux (rouges) (m.)	traffic lights
le rond-point	roundabout
le panneau	sign
un horaire	timetable
la destination	destination
la correspondance	connection
le guichet	ticket office
le carnet (de billets)	book of tickets
la consigne (automatique)	left luggage (lockers)
la salle d'attente	waiting room
le bureau des objets trouvés	lost property office
un arrêt (d'autobus)	bus stop
le ticket	(bus) ticket
un aéroport	airport
un avion	plane

aller	to go
monter	to go up, to get in
descendre	to go down, to get off
continuer	to go on, to continue
attendre	to wait for
s'arrêter	to stop
voyager	to travel
composter	to punch (ticket)
tourner	to turn
prendre	to take

perdre	to lose
suivre	to follow
traverser	to cross
compliqué	complicated
nécessaire	necessary
direct	direct, through (train)
libre	unoccupied, free
où?	where?
à	to
à côté de	next to
à droite	to the right
à gauche	to the left
tout droit	straight on
à pied	on foot
en voiture	by car
loin de	far from
près de	near
par	by, through, via
en autobus	by bus
en bateau	by boat
en avion	by plane
par le train	by train
vers	towards
en face de	opposite
le long de	along
au bout de	at the end of
au fond de	at the far end, at the back of
tout près	nearby, very near
à 3 kilomètres	3 kilometres away
à 200 mètres	200 metres away
à 10 minutes	10 minutes away

Excusez-moi. Pour aller à la gare, s'il vous plaît?	Excuse me. Can you tell me how to get to the station, please?
Tu vas tout droit et tu prends la deuxième rue à droite.	You go straight on and you take the second road on the right.
C'est loin?	Is it far?
Non, c'est à deux cents mètres, cinq minutes à pied.	No, it is 200 metres from here, five minutes on foot.
Merci, monsieur.	Thank you, sir.
Quand tu vas sur le quai, n'oublie pas de composter ton billet!	When you go to the platform do not forget to validate your ticket!
Je descends du train, je mets mes valises à la consigne et j'attends dans la sale d'attente.	I get off the train, I leave my cases in the left luggage and I wait in the waiting room.
La gare routière est à côté du port, et il y a un bus toutes les dix minutes.	The bus station is next to the harbour and there is a bus every ten minutes.
Quand je voyage à Paris, je prends le métro et j'achète toujours un carnet de tickets. C'est moins cher.	When I go to Paris, I take the metro and I always buy a book of tickets. It is cheaper.

SNCF

14. Tourist information

un office de tourisme	tourist office
la banque	bank
la poste	post office
la liste	list
le plan	map (of town)
le camping	camp site
un hôtel	hotel
le restaurant	restaurant
le monument	monument
le syndicat d'initiative	tourist information office
les renseignements (m.)	information
la brochure	brochure
le dépliant	leaflet
le spectacle	show
le code postal	post code
la réservation	reservation
la chambre de famille	family room
la chambre pour deux personnes	room for two people
la chambre pour une personne	room for one person
le bain	bath
la douche	shower
chercher	to look for
visiter	to visit
voir	to see
avoir lieu	to take place
réserver	to reserve
confirmer	to confirm

historique	historic, ancient
gratuit	free
municipal	municipal, publicly owned
près d'ici	near here
par jour	per day
par personne	per person, each
jusqu'à	as far as, until
Excusez-moi! Est-ce que vous avez un plan de la ville?	Excuse me! Do you have a map of the town?
Je voudrais une liste des monuments historiques, s'il vous plaît, et une brochure si c'est possible.	I would like a list of the historic monuments, please, and a brochure if possible.
Je veux changer de l'argent. Il y a une banque près d'ici?	I would like to change some money. Is there a bank near here?
C'est quel bus pour visiter le château? Vous avez un horaire?	Which bus is it to go to the chateau? Do you have a timetable?
Une chambre avec douche pour deux personnes, c'est combien par jour?	How much is it per day for a room with a shower for two people?
Je dois acheter des timbres. Où est-ce que je trouve un tabac ou la poste?	I must buy some stamps. Where can I find a tobacconist or the post office?

ORANGE
Lindt
EXCELLENCE

15. Shopping

le magasin	shop
le marché	market
la boulangerie	baker's
la boucherie	butcher's
la charcuterie	pork butcher's, delicatessen
une épicerie	grocer's
la maison de la presse	newsagent
le tabac	tobacconist's shop
la pharmacie	chemist's
la poste	post office, post
le supermarché	supermarket
un hypermarché	hypermarket

le fruit	fruit
la banane	banana
le melon	melon
la pomme	apple
le citron	lemon
la pêche	peach
la prune	plum
le raisin	grape
la tomate	tomato
le champignon	mushroom
la baguette	baguette
le jambon	ham
le beurre	butter
le yaourt	yoghurt
l'huile (f.)	oil
les chips (m.)	crisps
le bonbon	sweet
le journal	newspaper
le dentifrice	toothpaste

le timbre (à soixante cents)	(60 cent) stamp
la carte postale	post card
la lettre	letter
une enveloppe	envelope
le cadeau	present
le souvenir	souvenir
la pellicule	film (for camera)
le chariot	supermarket trolley
une entrée	entrance
la caisse	till
le sac	bag
la sortie	exit
l'argent (m.)	money
l'euro (m.)	euro
le cent	cent
le billet de 20 euros	20 euro note
la monnaie	change, currency
l'argent (m.) de poche	pocket money
la livre sterling	pound sterling
le portefeuille	wallet
le porte-monnaie	purse
le prix	price, prize
le solde	sale
la sorte	sort, type
la boîte	box, tin
la douzaine	dozen
le morceau	piece, bit
le paquet	packet
la tranche	slice
le litre	litre
la bouteille	bottle
le kilo	kilo
cinq cent grammes	500 grams (approx. llb)

acheter	to buy
chercher	to look for
coûter	to cost
mettre	to put
payer	to pay for
prendre	to take
vendre	to sell
désirer	to want
faire les courses	to do the shopping
trouver	to find
fermé	closed
ouvert	open
cher, chère	expensive
pas cher, pas chère, bon marché	cheap
léger, légère	light
lourd	heavy
neuf, neuve	new
plein	full
vide	empty
de	of
du, de la, des	of the, some
assez	enough
trop	too much
un peu plus	a little more
s'il vous plaît	please
je voudrais…	I would like
c'est combien?	how much is that?
c'est tout?	will that be all?
et avec ça?	and with that? anything else?
ça fait 12€ 50	that comes to 12€ 50

À la boulangerie j'achète deux baguettes.	At the bakery I buy two baguettes.
Je suis désolé, je n'ai pas de monnaie. J'ai seulement un billet de 50 euros.	I am sorry, but I do not have any change. I have only a 50 euro note.
Au marché les fruits ne sont pas chers, et ils sont très bons.	At the market the fruit is not dear, and it is very good.
Le magasin est fermé tous les jours de midi à quatorze heures.	The shop is closed every day from noon until two o'clock.
Je vais au tabac pour acheter des timbres, et je mets la lettre à la poste.	I'm going to the tobacconist's shop to buy some stamps, and I shall post the letter.
Maman, est-ce que tu as assez d'argent pour des bonbons aussi?	Mum, do you have enough money for some sweets as well?
On vend du dentifrice à la pharmacie.	They sell toothpaste at the chemist's.

16. Weather

le temps	weather
la météo	weather forecast
le soleil	sun
le vent	wind
une éclaircie	sunny spell
le brouillard	fog
le nuage	cloud
une averse	shower
un orage	(thunder) storm
la neige	snow
la lune	moon
la température	temperature
le degré	degree
les saisons (f.)	seasons
le printemps	spring
l'été (m.)	summer
l'automne (m.)	autumn
l'hiver (m.)	winter
il fait beau	it is fine
il fait chaud	it is hot
il fait froid	it is cold
il fait frais	it is cool, fresh
il fait mauvais	the weather is bad
pleuvoir	to rain
il pleut	it is raining
neiger	to snow
il y a du vent	it is windy
il y a du soleil	it is sunny
il y a du brouillard	it's foggy
il y a de l'orage	it's stormy

geler	to freeze
il gèle	it's freezing
j'ai froid	I am cold
j'ai chaud	I am hot
ensoleillé	sunny
gris	grey
couvert	overcast
lourd	heavy, close
sec, sèche	dry
humide	damp
aujourd'hui	today
demain	tomorrow
hier	yesterday
Au printemps il fait frais et il pleut.	In spring it is cool and it rains.
En été il y a du soleil et il fait chaud.	In summer it is sunny and warm.
En automne il y a du vent et il y a beaucoup de nuages.	In autumn it is windy and very cloudy.
En hiver il fait froid, il neige et il gèle.	In winter it is cold, it snows and it freezes.
Maman, il y a du soleil et j'ai très chaud. Je peux mettre mon maillot?	Mum, it is sunny and I am very hot. May I put on my swimming costume?
Voici la météo. Demain il va faire beau sur toute la France avec une température entre 24 et 26 degrés.	Here is the weather forecast. Tomorrow it will be fine throughout France with temperatures between 24 and 26 degrees.

17. Essential additional vocabulary

Environment

l'environnement	the environment
la pollution de l'environnement	environmental pollution
la pollution	pollution
l'énergie (f.)	energy
l'eau (f.)	water
les déchets (m.), les ordures (f.)	waste, rubbish
le recyclage	recycling
la forêt tropicale	rainforest
le dioxyde de carbone	carbon dioxide
le climat	climate
la Terre	Earth
l'effet de serre (m.)	greenhouse effect
le réchauffement de la planète	global warming
l'énergie solaire	solar energy
l'énergie éolienne	wind energy
des espèces menacées (d'extinction) (f.)	endangered species
des produits qui respectent l'environnement, des produits qui ne nuisent pas a' l'environnement	environmentally friendly products
qui respecte(nt) l'environnement	environmentally friendly
qui nuit (nuisent) à l'environnement	environmentally harmful
en danger	in danger

protéger l'environnement	to protect the environment
réduire les gaz d'échappement	to reduce exhaust fumes
économiser l'énergie	to save energy
gaspiller	to waste
se débarrasser des ordures	to dispose of rubbish
faire le tri	to separate waste
recycler	to recycle
consommer moins	to consume less
détruire	to destroy

Information technology

l'ordinateur (m.)	computer
le jeu informatique	computer game
le courrier électronique	e-mail
l'informatique (f.)	information technology
l'internet (m.)	internet
le programme	program(me)
les logiciels (m.pl.)	software
le tableur	spreadsheet
un document Word	Word document
le moniteur	monitor
le clavier	keyboard
la souris	mouse
l'imprimante (f.)	printer
l'ordinateur portable (m.)	laptop
mes favoris	my favourites
le scanne(u)r	scanner
le virus	virus
le site internet, le site web	website
le nom d'utilisateur	user name
le mot de passe	password

copier un dossier	to copy a file
jouer à des jeux informatiques (m.)	to play computer games
écnre un courrier électronique	to write an e-mail
lire un courrier électronique	to read an e-mail
surfer sur Internet	to surf the net
écrire un programme	to write a program(me)
télécharger un programme	to download a program(me)
sauver	to save
ouvrir	to open
entrer	to log on
sortir	to log off
effacer	to delete
passer au scanne(u)r	to scan
cliquer	to click
numérique	digital
interactif, interactive	interactive

General

le, la, l', les	the
mon, ma, mes	my
ton, ta, tes	your
son, sa, ses	his, her, its
notre, notre, nos	our
votre, votre, vos	your
leur, leurs	their
tout, toute, tous, toutes	all, every
quelque	some
autre	other
et	and
mais	but

ou	or
parce que	because
puis	then
très	very
peu	little, not very (not much)
bien	well
mal	badly
vite	quick, quickly
souvent	often
où	where
on	one (people, we, they)
ça	that (thing), it
me, te	me, you, (myself, yourself)
nous, vous	us, you, (ourselves, yourselves)
moi, toi	me, you
lui, elle	him, her
à	to, at
de	of, from
dans	in, into
en	in (to, during)
pour	for
non	no
ne…pas	not
pas de (pain)	no (bread)
merci (beaucoup)	thank you (very much)
qui?	who? (pronoun)
que?	what? (pronoun)

quel? quelle?	what/which? (adjective)
tu as quel âge?	how old are you?
quelle heure est-il?	what is the time?
à quelle heure?	at what time?
de quelle couleur?	what colour?
comment?	how? what? like?
c'est comment, ta maison?	what is your house like?
combien (de)?	how many? how much?
où?	where?
quand?	when?
pourquoi?	why?
est-ce que?	(turns a sentence into a question)
avant	before
après	after
soudain	suddenly
de temps en temps	from time to time
vraiment	really
presque	almost
plutôt	rather
au moins	at least
sauf	except
cela	that (like ça)
pour (+ infinitive)	(in order) to
en train de (+ infinitive)	in the middle of (doing)
sur le point de (+ infinitive)	on the point of (doing)
sans (+ infinitive)	without (doing)
ne…personne	nobody, no one
ne…plus	no more, no longer

ne…jamais	never
ne…rien	nothing
c'était	it was
quand même	even so
quelque chose (de spécial)	something (special)

18. Examination rubrics

General

où?	where?
qui?	who?
que?	what?
qu'est-ce que?	what?
en français	in French
en anglais	in English
en chiffres	in figures
en toutes lettres	(written out) in full
vrai/faux/impossible à dire	true/false/impossible to say
voici un exemple	here is an example
les réponses suivantes	the following answers
quelques questions/phrases	a few questions/phrases
pour chaque question/personne	for each question/person
il/elle parle au sujet de/sur...	he/she is speaking about...
tourne la page	turn the page
lis les questions/la liste	read the questions/the list
écris la lettre/le numéro (qui correspond)	write the letter/number (which matches)
écris les réponses	write the answers
réponds aux questions	answer the questions
complète la table	complete/fill in the table
trouve les mots/les phrases	find the words/the phrases
remplis les blancs	fill in the blanks
regarde les dessins/les images	look at the drawings/the pictures
fais correspondre...	match up...
coche la (les) bonne(s) case(s)	tick the right box(es)

Reading

voici…	here is…here are
…une liste	…a list
…une carte postale	…a post card
…des informations	…some information
…un texte	…a text
…des annonces	…some advertisements
…un extrait d'un journal	…an extract from a newspaper
…un extrait d'un magazine	…an extract from a magazine
…un extrait d'un dépliant	…an extract from a brochure
lis attentivement	read carefully

Writing

écris…	write…
…une liste	…a list
…une carte postale	…a post card
…un article	…an article
…une lettre	…a letter
…une histoire basée sur les images suivantes	…a story based on the following pictures
remplis la fiche	fill in the form
décris	describe
réponds à toutes les questions	answer all the questions
écris entre…et…mots	write between…and…words
demande	ask
explique	explain

Listening

tu écoutes	you are listening
tu vas entendre…	you are going to hear…
…un message	…a message
…une conversation	…a conversation
…un dialogue	…a dialogue
…une émission	…a broadcast
…un reportage	…a report
…une interview	…an interview
entre deux personnes	between two people
il/elle parle avec	he/she is talking to
tu vas entendre la conversation deux fois	you will hear the conversation twice
tu vas profiter de deux pauses pendant le message/la conversation	you will benefit from two pauses during the message/conversation
écoute attentivement	listen carefully

Speaking

donne les détails suivants	give the following details
demande les détails suivants	ask for the following details
prépare les tâches suivantes	prepare the following tasks
en français	in French
salue	greet
présente-toi	introduce yourself
dis	say
explique	explain
remercie	thank
décide comment	decide how
réponds à la question de…	reply to the question of…